回　聲

尹遠紅　著

目 錄

2011 年

懷鄉......................001

黑白的鄉愁......................002

不動聲色......................003

就這樣......................004

還不夠......................006

網......................007

漂泊之吻......................008

立冬。雁南飛的漂泊......................009

重陽......................010

十二月，寒冬......................011

2012 年

夏日最後一朵玫瑰......................012

活在世間與植物無異......................014

收藏......................015

2013 年

海邊黃昏......................016

賜......................017

遠......................018

生活書......................019

寶貝的權利......................020

寒露......................021

遇見......................022

在冬天 023

十一月你們開始對得起自己 024

異鄉，原鄉 025

秩序 026

聖誕說平安 027

2014 年

倒春寒 029

原諒 030

時光 031

喜悅 032

雪的信條 033

我愛你時 034

致時光 035

冰釋前嫌 036

寫給女兒 037

釋放 038

傾慕 039

不爭 040

獨立房間 042

2015 年

沒什麼可相贈 044

你是星辰，你是美 046

道路 047

合歡 048

雪的信條 049

安 050

送別 051

魚 052

等你──致孩子 054

畫筆 055

種子的信條 056

遠 057

台階 058

都在 060

想必愛也是如此 061

2016 年

草藥獨活 062

在那裡 064

無辜的綠皮火車 065

給孩子 066

父親生祭日的家聚 068

蝸牛 069

掃塵 070

立春 071

你相信 072

知了 073

2017 年

碾壓 074

春光美 075

墓 076

願世界善待每一個孩子 077

類似命運相交的什麼 078

梔子花開 080

如初 081

酷暑 082

觀香港海事博物館 083

秋天 085

腳步 086

眉上秋 087

雪與雪 088

燈，或致詩 089

舊雪 090

自畫像 092

影像描述之：兩份 094

影像描述之：擁抱 095

2018 年

平安夜 096

五月，船歌 098

立夏 099

叢林 100

石榴又熟了 101

消息的分娩 102

守夜者 103

常見 105

影像描述之：錦上添花 107

綠皮火車 108

秋園的信條 110

夏日漫長闊大 111

七月的旅行 112

香江的秋天 113

他的手 114

他們的聲音——致音樂人 115

她的小嘴 116

她的眼睛 117

第三人稱代詞的描述 118

他的眼睛 119

豎琴與肋骨 120

我們的窗口 121

影像描述之：島 122

落單的蝴蝶 124

桂子花開 125

世相，真相 126

裝睡的人 127

答卷 128

2019 年

活著 129

向蝴蝶族致歉 130

月亮 131

影像描述之：劇中的七夕 132

影像描述之：禮物 133

懂音者 134

落葉 135

霜降 136

血玉 137

散步 138

花，還是要開的 139

立春 140

小跑步的歡欣 141

生日時致母親 142

女兒的手 143

簾子 144

居高聲自遠 145

沉默的原由 146

水的哲學與智慧 147

晚安......148

珠冠或珠環......150

冬天不只在冬天......151

2020 年

致石川啄木，致自己......153

玉君......154

誰能釋放春天......155

影像描述之：初見......157

墓碑......158

影像描述之：細節......159

已生成......160

致啟蒙者......161

骨......162

庚子年的春末......163

夏記......164

香江是個海......165

父愛......166

銀杏......167

粽子......168

深......169

秋實......170

影像描述之：早春......171

玫瑰雲......172

出處......173

港大外的道路......174

史鏡......175

大寒......177

多麼好......178

影像描述之：春光美......179

信使...180

此去經年...181

夢之雪曲...182

慈悲是另一種無奈.........................183

不放過你...185

2021 年

語言...186

影像描述之：天空之城.................187

回聲...188

愛——致佩索阿.............................189

立春...190

影像描述之：熔化.........................191

影像描述之：寶藏.........................192

碼頭...193

大與小...194

五月及小滿日.................................195

校園...196

芒種...197

所愛...198

影像描述之：熟悉你.....................199

愛的要義...201

影像描述之：蘋果花與斷腸花.....202

在一起...203

向日葵...204

香江，一種溫暖的感覺.................206

好天氣...207

力量的途徑.....................................208

指認...209

二〇二一...210

影像描述之：旋轉的夏雨 211

影像描述之：初雪 212

影像描述之：讚美鳶尾的方式 213

影像描述之：春信 214

2022 年

我的詩 215

時間之樹 216

將老虎放進遊戲中的軟體眶 217

現象 218

時間 219

影像描述之：記憶城堡 220

父親去世後 221

食糧 223

夏日最後的玫瑰 224

理由 225

讚美詩 226

進入一首詩 227

憶那年十月的另一種雪 229

際遇 230

雪 231

執迷即墳墓 232

在他們之間 233

魚的星座 234

兩棵樹 235

愛著 237

在他們之間 238

影像描述之：倚 239

自序二則

（一）

常有人感嘆生活，總要有一些東西來托住它的下墜，詩是其中的一種。

提到與詩歌的緣分與寄望，思緒自然牽起對事物的聯繫與想像。

想像文字像蟬蛻那樣，升出多年的寂土，發出一點自己的聲音。怯生生的初試，在自己貧窄的園地與低枝。

想像文字密織成香囊，封存一些香氣：玫瑰、康乃馨、梔子、秋菊、冬梅、風信子、紫荊花……以及它們對應的類人類物的那些，靈魂的香氣。

想像文字像螢燭，藉著它的微光，抵抗不可避免的晦暗、虛無與脆弱的時候。

　　想像文字如感官，在散文體的生活裡，享用詩一般雋永的美，歌一般委婉的愛。享用，像魚兒享用大海，白雲享用天空，像玫瑰享用陽光與朝露，像生命的杯盞向良人良物傾斜，杯唇享用靈魂的蜜與雪。而把品嚐到的愛與美放在心中，或是囚進碑石，不如放在文字裡，用詞語觸摸與收藏。這古老的語言，總在下一代手中翻新。像星星的夢境，出浴的朝陽。恆久又恆新。

　　若能，已是或將會，那麼，足矣！

　　足夠有理由與勇氣感謝遇見詩歌，感謝因詩歌帶來的一切寬闊而光亮的遇見。感謝習詩以來，給予我支持鼓勵與寶貴指導的老師們、詩友們，此刻我在心裡默念並銘記他們親切的名字，溫暖而芬芳。

2022-12-12

於香港島

（二）

　　年輕時喜歡詩歌，僅限於閱讀，以期目光能躍上春水般明媚輕愁的眼眸。後來渴望從瑣碎的日常中掙脫。撇開俗事糾纏與追逐，甩開命運那隻怪獸的折騰與追捕，用大把大把的月光，把來途與心事漂到發白，洗到風清，渴望擰出詩意。再後來感到自己在散文式的生活裡，享用了詩一般雋永的美，與歌一般委婉的愛。那份幸運與寬闊，就像魚兒享用大海，白雲享用天空，就像玫瑰享用朝露，生命的杯盞向良人良物傾斜，杯唇享用有趣靈魂的蜜與雪那樣，自由、美好而滿足。為著盛載與儲藏事物靈魂深處那些生輝的光亮與香氣，於是開始渴望劇烈又蘊藉的傾吐與表述，開始渴望更精緻而包容的容器，這時想到詩歌。

　　它雖身體短小，卻蘊藏巨大的爆發力與感染力；它詞語不尋常不規則的排列組合，卻持續帶來新奇，帶來美，帶來新的秩序；它刷新，它拓展詞語與事物間的關聯，它讓詩者感知世界的觸角更加敏銳，感知事物的邊界更加廣闊；它對世間萬物抵達一種更深刻更本質的探究與揭示；它劇烈起來像懸崖深淵處的警示，像果實核心動人的炸裂，像火焰迅速蓬勃的燃燒，像音樂繞樑不絕的繚繞，彷彿世間所有的豐盈與趣味、荒誕與真相、敏銳與艱深、喚起與安撫都濃縮在詩這裡了。

　　隨著它對詞語的調動對事物開闊深入的詮釋，我的心靈跟著它一起律動，從未有過的好奇、活躍與生動。是的，寫詩讓我的心靈更加鮮活豐盈。它讓萬物靈域的無數奧秘得以受孕與產出，得以穩妥安放。它是我靈魂劇烈時的搔癢物與安魂曲。這是一種無法窮盡其美妙的內心生活。我知我深愛上了詩歌——這枝時間的玫瑰，它絢麗、別致，它在時間的涯野裡，獨樹一幟，寂靜中顫慄，動盪中安寧。

2022-12-26
於香港島

懷鄉

懷鄉不必非要李白的明月光與地上霜
桌上一盤涼拌魚腥草的家鄉菜
清洗前，向它借一點田埂泥土的親與腥
涼拌時，借一點川渝妹子的麻與辣
下肚時，再兌一點江湖同寄的
苦澀與酸甜

刀下，魚腥草的根越擠越密
嘴裡，越嚼越腥
下至腹河中，竟兀自生成
一條故鄉的血腥臍帶
越湧越大，越繞越長
從長江之濱一直繞到香江之畔

黑白的鄉愁

最怕有人在異鄉的夕照裡
對著鏡子唸：
少小離家⋯⋯老大回，鄉音無改⋯⋯
那顫抖的鄉音最後必縈繞於
逐漸色衰的兩鬢

趁鬢髮未覆霜，鄰童未發問
我拾起雙肩、滿地散落的髮絲
握著黑與白之間輾轉的鄉愁
對著夕陽，努力向外扔
哪知鄉愁如階前飄零的花絮
拂了一身還滿

不動聲色

中年以後
喜歡上了不動聲色
看那大地，吃下水的柔，火的熱
獻出最闊的海，最白的雪
把愛之礦藏埋在至深
從不炫耀

中年以後，喜歡上了
不動聲色的孤獨，不再抵抗
看，焰火在香爐上裊裊地
把孤獨燃燒，蓮花的清寂真美

中年以後，渴望
把寺裡的菩提移種
種到心裡——心裡的清涼處
用悟性澆灌，不動聲色

就這樣

就這樣，把寂默沉入海底
與啞掉的魚族們在一起
向深處廣處索風景

就這樣，把自己的感官
掛在樹隙
聽鳥兒怎樣把春天唱高唱綠
看樹木在冬天怎樣化繁為簡

或者，在岩石邊
邀約遠山、霧靄、晚霞、風濤
默誦它們書寫的一首首自然詩

夜來，升起煙火
親近蔬果們生前的明月清風
死後的果腹與體香
枕衾暖晴，唇上燃燒的風景

就這樣，把自己埋在今生
埋在今生的安靜裡
深一些，再深一些
不讓前塵往事找到

還不夠

還不夠冷
再冷一些
她懷中的血凝為你掌中的雪
晶瑩端莊，是你喜歡的模樣

還不夠狠
再狠一些
刀劍斬斷你們苦楝的一生
汁液風霜匯在一起，相互致意擁抱

還不夠老
老一些，再老一些
墓碑潔白的雙手扯著你們的衣襟
你們卸下枷鎖與浮雲
重回來時的真與輕
暖著你們墓冢的塵土上暖著雪衣
它將一切覆蓋
它將一切潔白──
白的黑夜，黑的白天
你們從白天到黑夜追逐的灰

網

清早，落到事物上的天光
送來秋的氣息
薔薇科背轉臉
不知名樹上夏洛克的網上
視線被網上一隻大蜘蛛
與蛇搏鬥的場景牽引

哦，網，結構再千頭
絲線再萬縷
身世與目的無非為三：
一為蜘蛛類捕捉
二為破繭成蝶類涅槃
騎在中間的是人類的作繭自縛
與自作自受

漂泊之吻

山林隧道，明月深井，櫻桃芭蕉
分別的行囊裡，你只裝載青春的這些

山林仍在，深井未枯，裝了
滿滿一林一潭稚嫩的情話
惹得明月有時還露當年羞澀的模樣
井邊守望的櫻桃紅了又紅
芭蕉綠了又綠
列車轟隆隆地埋頭走啊走，夜以繼日

只是，只是在隧道中漂浮的
那個初吻，滿是青澀的羞紅與驚慌
二十多年了，總也
找不回舊時兩副好看的小臉來安置

立冬。雁南飛的漂泊

天空馱著雲朵，飄來散去
海水馱著翹盼，潮來潮往
大地馱著季節，草青草黃

你馱著滿袋子喁喁私語
經過她的身旁
上午的詞句才立秋
下午的詞句已寒冬

世象無非聚散，情意無非寒暖

雁兒馱著蒼茫，飛入蒼茫
北望途中——
已無春色可眷
已無暖風可翔

重陽

龕旁的小花瓶裡插上菊花
跪拜完先輩的骨灰龕後
你把小心事掰成兩半
一半海水，一半火焰
一半侵鹽，一半沾磷

一半在陽間，追隨他的航程
聽風浪與海鷗交替歌唱
看星辰、雲雨交換眼神
潮來又潮往──

一半去往陰間，派火焰前去打探
──
你一生怕冷怕黑，任性倔強如鐵
生前要如何在爐火上鍛、熔、煉
焠掉日子的斑斑鏽跡
治癒月光般的缺鐵性貧血
讓體內的鐵水與他一樣紅潤同質
待到褪掉浮雲，火焰熄滅後
才可與他江湖同寄

十二月，寒冬

十二月，北國的雪不肯下粵南
寒月梅影，夢裡娉婷來相見
寂寞斷橋邊，枯瘦的江山
仍然抱香持節把主伴

香江飽滿如故
金融危機鼓吹的泡沫與它何干？
紫荊懶理政壇風雲變幻
自顧自在開

聖誕紅襯著湛藍，也還好看
鈴聲漸近，鹿兒蹄歡
白鬍子老爺爺正載著滿車雪白的童話
從北歐的森林星程趕來

昨夜有夢——
夢見遠方的小女
獨立杜甫的寒屋
睡夢中哭出聲來

夏日最後一朵玫瑰

是歌唱，是心語
是愛爾蘭式自況抒情
是青春之樹抽出的
最後一束花枝

是初秋黃昏
落幕的一枚瓣影
隨水或委泥

是比喻，是象徵
是里爾克的那株矛盾植物
內蓄上等酒液，上等毒汁
能醉人，也能刺死人

是你詞語的花園裡種植的
碩大卻尚未到達的玫瑰——
雲端裡開著，時間之外
雪白的火紅

活在世間與植物無異

共享頭頂的星空，霓虹
腳邊的露珠，蝶舞
一生收積風雨雷電
病蟲侵害，努力
開枝散葉，綻花結果

然後等待一場秋風
落葉般將我們收集
送進爐膛，火口
化為青煙，灰燼

沒有腐臭的，或許
還發一些些喜人的光
可照亮，可取暖

收藏

那晚行在燈火闌珊中央
想到此時圍繞在你四圍的敬仰與榮光
從十年的時間之河綿延而來
像水滴那麼多，像水花那麼亮
就想對路過的每一個陌生人
每一棵樹，每一顆小石頭說
說你的氣勢與激昂
說你的江山與凱唱……

或者對著風浪，喊
喊出你遼闊名字的志在四方
假使他們都醒著，潔白歡暢

最後還是退到寂靜的懷抱
默然如冬石，她知
沒有一隻沉默的舌頭
比她更懂得收藏
收藏這份高山流水的祝福與讚賞

海邊黃昏

坐著或是臥著

醒著或是夢著

一些黃皮膚的石頭

看海水撫吻另一些黃皮膚

潮來潮往的背脊上馱著時間的明暗

野蘆葦逐風擺著身段

朝顏將花朵的矜持用小傘收著

幾個外國朝顏去到淺灘

撿拾他們的童年

掬一捧海水的歡笑

那質地跟異國的沒有什麼不同

夕陽在天邊逗留

我們的自由與跟隨在岩石上踱步

遠處，有人在海岸邊釣著黃昏與愜意

賜

賜我玫瑰，不如賜我
君子的淡水。這樣我才能留住
同一的盈缺，留住玉壺的冰清，留住
流續的長遠

賜我楓唇的熱烈，不如賜我
蓮上的冷寂。晨鐘暮鼓，木魚清風
什麼紅塵，什麼江湖
我們都走在靠近菩提塵墓的歸途

賜我，賜我盡頭的滿不如賜我
留白的白，賜我浮世的歡不如
賜我掌心的空，我本一無所有
不想空也再碎一次

賜我，賜我
其實，除了遠方賜我
比遠方更遠的流水與風
誰也沒有特別賜我什麼

遠

又到雁字回首的季節
一年的時光
輕飄飄航過我的小西窗
海仍是那海，洲仍是那洲
海仍懷著那洲，洲仍綿著那海
遠方的仍在遠方
留白的霧仍留著空與白

只是窗前流連的飛鳥
不再是舊時的相悅
聲色，沉默的情懷
都不對

生活書

旋轉停止攪動
抖出塵污的衣服們
等待一隻手幫它們出浴
去陽光底下晾曬潮濕心

碗筷們楚楚可憐，巴巴斜眼望著——
哦，受了冷落的孩子們！酸甜苦辣
它們已經嚐夠，盼望在櫥櫃裡乾淨避世
沒有什麼不妥

而寬闊如海的生活呀，你別急
等著我把好日子一寸一寸過出來
如數家珍抖給你如何？！
就像這洋蔥，我要層層
層層剝開你疊疊的心，捧出
紅太陽與藍月亮
照一路鷹飛草長，一路鳥語花香
就著細水長，就著煙火燙
剝你有多深，愛你就有多真

寶貝的權利

名字之於昵稱
界限如公共之於專屬
客廳之於臥室，敞開與隱秘
愛的蜜語與胎記

那個世間唯一喚你寶貝的男子
一把風花劍，一把雪月鎖
取體內小獸萬萬年的骨
蘸玫瑰的蜜，淬取
日月古樸的火光打就

哪怕生活的壁壘
堅硬如花崗岩
哪怕雙手所握
空曠如荒漠
只需於寂靜處輕輕
輕輕一呼一喚，就軟，就滿
劍在心，眉鎖開
城池開，玫瑰也開

寒露

夏至、小暑、大暑
立秋、處暑
白露、秋分、寒露
一城風月滿紙沙漏

鴻雁往南，桂子謝園
不哭不鬧訴離散
半江霧鎖半城香
露從今晚涼，風從昨夜長

好久不見，好久再見
蟬不再唱，風不再唸
只是斜倚欄杆在霜降蘆飛之前
把你那裡的天氣拍了一遍又一遍

遇見

夏天帶刺的玫香
秋天盈缺的月亮
春天低眉的怒放
冬天清寂的彈唱

窗前流連的飛鳥
詩篇忘卻的蝶舞
歲月焚過的風骨
蓮上滑落的星光

在月白的刀崖上赤腳炫舞
在季節的荒幽裡清冷燃燒
翻開寫在雲上的日子
誰是誰，遇見誰的閃亮

在冬天

在冬天了，別乞憐
秋在你的門楣前多作一絲長留
此處，秋是過客，不是戀家歸人

在冬天，該去拜訪石頭家族
這些用風用雨用嚴寒與冷酷
錘打脊樑與筋骨的傢夥
堅硬的更堅硬，骨氣的更骨氣
於是你學著將心間大掃除
將綿軟收起。避不過
就迎上去，要溫暖想著
忍冬——一植物的名字

在冬天，無數花朵都掉頭
更多顏色都凋敝
你開始期待雪花的白，梅花的血

十一月你們開始對得起自己

目光傾斜物質肉身
葡萄的血液傾進水晶杯
討好它蓄積的日月精華對付
你們身上另一些發炎的日月
你們談高血壓、乳腺炎
談越老越脆的骨質與疏鬆
談坐著也腰痛的老去風暴的清算

你們談身上的靈有多重
骨有多輕，磷有多亮
談冥冥中一股向西的力量
東奔西突，盜取烏鴉的腥與黑
盜取我們，盜取一切

晚來風急，燈火闌珊
越來越夜的夜裡，夜的體溫
冰涼，你們碰響高腳杯
叫醒體內生病的河川
調和兩種紅的相容
剔除黑的陰影
你們靠近彼此就像靠近餘生中
另一個倖存

異鄉，原鄉

不知你從大洋那端的哪一點
發來圖片：說那裡好漂亮
只知這些年你一直隨風飄蕩
為體內那株蒲公英，焦渴地
尋找原鄉

這蛛網般的經緯織就的時差
我努力打開心靈的窗戶
看圖說話：天仍長在天上，樹仍長在地上
車仍跑在道上，至於道路的「平坦與否」
究竟是憑個人意志消化的虛詞

如果你有空，嚐嚐那裡的海水
肯定也是鹹的吧；如果見到浮萍
一定也是沒根的吧；如果抬頭望天
也一定會有啟明星與舊月亮

那裡都是異鄉，那裡都是原鄉
不如問問你的心，問問風中
遞過來的纜：是否
願意流浪，是否已有愛人停靠

秩序

昨夜，整棟樓不安分的水的血管
全部爆裂。當水從水中走出
從流向的秩序中出走
人體內的河川匱乏水的走入
面目蓬頭垢面，口臭、焦渴
卡在深喉的那枚芒刺劇烈咳嗽
生活的無序

就像詩人擺弄手中的詞語詩意地安置
落葉重返老枝，落花重立椏上
夏秋長生不老，冬天馬蹄
失足，春天胎死腹中

就像有人渴望在冬天的寒枝上
激活夏日玫瑰的心跳
在流水的中年打撈少年走失的臉龐
以及唇上青蘋的純然風景
時移、世易都不答應

有多少事物、世象潛伏的秩序你不知道
或者你像拒絕盔甲一樣拒絕知道？！

聖誕說平安

對早起的光明，背後的陰影說平安

對收容流浪、清點腳步的街道，街道上

車輛的叮噹、哐當說平安

對大海、船隻、領航的海鷗

魚族漂泊的旅途說平安

對水常東的流逝與手中還未用完的黑白說平安

對熄滅的灰燼與指尖埋伏的風暴說平安

對木棉橡樹以及它們的近鄰說平安

對玫瑰雪墓與臘梅同出異名的冷香說平安

對聖誕樹，樹上的假雪球假馴鹿說平安

對善意的謊言與欺騙說平安

對季節與下在他鄉的雪花與道路

路邊的蒲公英說平安

對遠方的親朋好友，遠在遠方的遠說平安

對身邊的枕衾，枕衾暖晴的風景說平安

對體內的天使與魔鬼說平安

陌生人，我要對你說平安

行路人，讓我們對一條路的僻靜

對體內體外孤絕的鐘聲說平安
對一切霧途的意念與願景說平安
最後讓我們對平安說平安

倒春寒

是告別的時候！
乍暖還寒打著措手不及
太極也有招盡的時候
夕陽在山那邊紅著眼告別
晚禱的鐘聲響起
魚族潛回深藍
羊群歸了柵欄
紙鳶折在遠方的遠
三月的桃枝沒熬過二月的
倒春寒

原諒

走兩步，退三步
你已如期老去。懷抱
疆土風雨、荊棘花環
原諒石頭堅硬冰涼
原諒逝水搖擺萍蹤

時 光

隨水流，逐花開
蹄音漫過腳踝
斷腸草、蒲公英、野薔薇
紅玫瑰、魯冰花
匍匐與菩提，得到的已得到
失去的早失去。露珠提取暗香
雨落在雨裡，你落在我心上

山水相逢，時光發言
多年以前，劇烈如山呼海嘯
多年以後，安恬似靜水流深
時光漫過胸膛，已夠敞亮通透的好
再也不需背對愛，對時光讒媚、說謊
聽從真由美。在時光的發炎中
讀詩，醫治時光；在缺席的遼闊上
鋪展星辰，激活光亮

「我願花開，在水之上」
我願讀你，在水一方

喜悅

一點酷，一點不羈
一點刀光劍影的俠氣
一點氣吞山河的豪氣
許多獨特，高於從流
年輕說，春天來了
光在夢和閃耀中嗶勃燃燒
——你是好，你是壞，你是
好壞不分的閃電真實
詞語都愛你們，躍上讚美的花枝
來不及了，就要花開了
兩顆小行星在夜空歌唱，忽閃忽閃的
兩個沉醉喜悅的大孩子，不記得
風中的歸路

雪的信條

冷一點，再冷一點
梅與玫更能摸到我的
身體達至骨頭
深一點，再深一點
我就能截斷河的污流
掩埋塵的全部——
我不舉道德高標
自持真與美底線
我親吻這塵世的方式
以童話，以白茫茫的臂膀身軀
以雪梅與雪玫的香氣與硬骨
更以君臨天下王者風範的
傾覆，一統江湖，建立
隱喻中的新世界與新秩序

我愛你時

我愛你時我是柔和的，彷彿生活
都剔除了怨骨，萬物可愛到
值得讚頌——古老的星辰
看護的高山流水
或者一片雲，一顆石
一枚葉，一縷風
無不在我們眼中生長歡欣

雲朵，我們為它降下
雨的願望與天梯
石子，我們為它匹配
沉默堅韌的另一顆
葉子，我們學枝上的鳥兒
為它升起綠色豐滿的
翅膀與歌唱
風拂過，細柔的心手
將分開的重新聚攏
小的美好大的感動

致 時 光

就這麼繼續走著吧
沿著時光黑白的
流途，縱橫的脈絡

準備一生的默默與款款
以筆為管，繼續飲時光眼中
蘆花柔，雪花白；飲時光血中
梅花韌，蓮花寂；飲時光途中
遠方的遠，留白的白
飲時光脉管中所有風浪完整的
不完美

冰釋前嫌

你有想像這把鐵鍬
可以鑿通遠方的遠

你有虛構的花園
可以躲避荒涼的實

你有柔和的詞語
可以軟化壁壘的堅

可你最想有的還是那
能釋前嫌的特種冰

好釋放他囚鎮雪墓已久的
那一聲掐得出水的「寶貝」

寫給女兒

蠻橫時她問我要白雲，要星星，要為難
綿羊時她問我要懷抱，要奶奶，要啵啵
棉花時她向我遞溫水，遞毛巾
發短信問我「吃藥沒有」
她是立體生動，陶泥可塑
她是獨一無二，無法複製，無法雷同
積穀防饑，養兒防老，老來所依？
她不需是！
她是遠方自由，獨立意志
——愛的正途與真諦
她是啟航的蔚藍，道路的伸延
她是翅膀拍打在天空
彼此慶幸：一脈相承，同樣血性，各自流淌
風從四面八方試探撕扯
腳步從未偏離軌道期許——
早上蓬勃希冀的太陽，下午柔和自足的光
各自精彩，獨立照耀

釋放

而思想的囚籠與繭房
制度的鐵律，道德的枷鎖
又何嘗不是天幕一樣
籠蓋眾生？！
悲哀落入死海，無聲同化為水滴
即使如水仰望如雪匍匐
遠方與高山，星辰與太陽
自由與真理。自由攀爬
與閱覽不會臨幸有幸者
不懈者說「脫繭而出才是道德的」
——語言救贖，繭子一樣蒼白無力
即使賞賜在世俗的牢獄
看十遍《蕭申克的救贖》
跪著的膝蓋仍爬不出黑長的
隧道與渠溝

地球冷面旋轉，晨露如期升起
對星空敬意誠意如此清澈
如同午夜清醒釋放輾轉
與唏噓

傾 慕

傾慕是兩片葉子的距離
兩片葉子是兩顆星的隱喻
兩顆星的距離讓我們
複習參照光年

不爭

不需同烏鴉爭它的黑
不需同夜鶯爭它的亮
我有避開的腳步
我有傾聽的渴望

不需同花朵爭
青睞的目光
我有榮枯隨緣的草木心
見過雲淡風輕

不需同枝頭爭
果實的懸賞
我有藏金納玉的書屋
我有低眉可拾的食糧

不需同來途爭
掌聲與榮光。歷史的
江山，帝王的榮光

尚在書頁焚過的風骨間
起伏閃耀

我有欣賞的姿態，不捲曲的讚美
我有讚美的詞語，有時烈焰氣質
有時清水模樣

獨立房間

伍爾芙筆下的獨立房間
是寫作要求的基本硬件
收藏二十世紀初期女性主義
女性意識抬頭的胚芽
收藏自由與權利
殘酷中的輕盈，瑣碎中的充實
收藏雌雄同體的藝術源泉
長得好看的文章，發表的喜悅
世界閱讀的眼睛，文明攀爬的階梯

杜拉斯《情人》筆下的獨立房間
收藏街道世俗打量的眼睛
收藏情人空落的靈魂
慾望糾纏的肉體，嬌喘的歡愉
空氣中濕漉漉的迷迭香
熱浪烤焦的盆植
收藏離別的汽笛聲，終生的回眸眼
收藏老年黃昏時越洋電波裡那一聲

老邁遲到的——「喂，你好嗎」

在你們的左右心房心室裡
也有各自的獨立房間
收藏故鄉，炊煙，老電線杆上
戀愛的麻雀，屋檐下銜泥的舊燕
收藏最後的玫瑰寄不出的問候
蒼翠不了的未來與缺憾——
收藏許多度過人生避不了的秘密與理由

沒什麼可相贈

如歲末燈下望著沙漏的
賬房先生，突然就覺貧窮了
沒什麼可贈與你，除了用舊的
祝福，還用剩些日子，而你像
天邊的星辰，那麼遠

園裡的玫瑰雕了
秋桂謝了，石榴掉落
紅，碎了一地。都來過，也都
成為過去

園子荒蕪了，如她日益老去的
記憶。能把握什麼，繁茂如春草的
回憶都去得那麼迅疾

都如何回憶？
在飄雨的夜晚飄雪的夢裡
會否忘記？像海浪
抹去沙上印記，像積雪
消融飛鴻足跡

你是星辰，你是美

俗塵中，有多少身不由己
生長多少言不由衷

但你本身是美的
承認這美毫不困難
就像承認星星美在人類共識的
高遠與無需到達

愛上星辰，其實就
愛在天意。並請擴展星空外延一樣
擴展這愛的遼闊內涵，忽略星月
偶爾缺席與相對黯淡

「光和水永遠不會擁抱」
還不必像俗世兩棵樹
走向塵中事實，枯朽於
絕對自然

尊重星與生俱來的
無法把握與無從靠近

道 路

我讚美山脊挺拔，海懷寬闊

我讚美珍珠過濾風浪

含孕溫潤與寂靜

我讚美寒風中一枝獨秀

擎舉孤絕與超拔

我讚美梅蘭冷峻的骨頭上

臥著傲世的香

我讚美蓮藕中越深越黑

越超然脫俗的白

我讚美潔身自好懷抱白的雪

都是為了通過它們

共築道路，抵達

你靈魂的美

合 歡

活到這個時候，真好！
慣看秋月春風，淡看綠肥紅瘦
花扶葉，蝶戀花，鳥棲枝
該來的都來過
愛和被愛都到過
該到的枝點
不再飛沙洲，不再
無枝可依

繁茂與凋敝
明亮與幽暗言和於
合歡之末。而那地下的
根，還能也還在
延續些什麼

歸途，一棵溫柔走進冬天的
合歡與你嶙峋的中年
撞個滿懷

雪 的 信 條

任你們說我像糖，像鹽
像城的漂白
像人生碾碎的齏粉
甚至像毒的砒霜

任你們說我開始像六角琴的美妙
像天使精靈
說最後還是要和稀泥

任你們拿我比雪藏喻雪崩
蒼茫寥闊，寬闊詩意
任你們拿我善意裝扮也好
說我惡意傾覆也罷

都改不了我來時的雪白身世
和美的童話初衷
至於辯我建設或破壞
論我是非與功過
都是消融後任你們一廂情願評說的
身後事，如雲似煙

安

安，安於和風細雨
也安於疾風驟雨
安於陋室處一簞一瓢，一蔬一飯
也安於疲憊時激情幻想——
一片踏不進另一片的年輕森林
繁茂與枯蕪，聽從自然

安，早已安於地理心理
兩枚大釘的秩序鉚定
還應安於體內內流河
過去與現在的疾與緩
安，像浮萍安於風
枝葉安於四季
生命安於過程
我安於我
順從但不悲觀

送 別

兄弟，此去一別
再見尚待星辰
折柳柔懷更添惆悵
寄梅訪春當是
明年早些時候

兄弟，你我今日別過
煙雨綢繆
前路，水急水緩
歧路還是坦途
就讓跟隨我多年的愛馬
伴你以後

他日重聚，月上層樓
讓回首的浪花與煙塵
為來途合撫一曲
定風波

魚

我是你筆下餵養的愛寵
線條與詞語賦形

我是你腦海放生的垂釣
偏偏愛上你棋高一籌的
欲擒故縱

我是你夢境與深淵的伸延
從白到黑不停游動
水花拍擊愛撫
無聲無影

我是你饑渴的撫慰
我是我筷下甘願的誘餌
渴望被你吻化
誓死在你口中腹中
肉體與你赤裸相見

我是自由象徵，精神符號

我是你深潛的吶喊與慾望

我是你的海闊天空

水中默中活著

與你靈魂的藍質相認

等你 —— 致孩子

春雷過後
雨驅趕了一夜的星辰
等你，撐一把向風向陽
也向雨的傘
等你，在路口，在街角
在可能可塑綿延的
每一個交叉與轉折
看你推開傘轉身
纖小的身影執著地
追風逐雨，追著書海的藍
盼望用它更好地過濾
每一天黑白的往來

我不用太過擔心
春天瘦著的胚芽
春夏會把它完全豐滿
自由之心伸展繁榮之姿
我知道校園邊的黃桷樹、銀杏
很快就會枝繁葉茂
撐起一片天空

畫筆

你讚美身體
搬弄線條詞語
從不搬弄是非

你追風
你掠影
從不捕風捉影

你撐一把好槳
山一樣挺進豪放
柳一樣拂動柔美
不動聲色
便喚醒一池春水的婉約

種子的信條

像季節的蟬蛻一樣
把自己種在夜的寂寂寂
泥的深深深裡

無需四處發聲
只把希望與青睞
開在花與果上

你若是她的良土與光亮
她定會衝破黑暗
越過一切阻礙
來見你

遠

遠在寒山
遠在寺廟
雲霧抬高石階
木魚敲起梵音

遠在抓不住夢境半片
翅羽，忽然翩至又翩離
遠在按不住迷亂牽掛
鹿亂撞，貓抓心
遠在電波穿山過海
聽見彼此，觸不到
髮膚星點

遠在頭頂飛過飛機
遠行的人不在雲裡
在霧中

台 階

她雙手蛇一樣
環在我的腰間
環出暖流與溫柔
小臉向上仰著
小嘴湊過來抵住我的嘴唇
拿眼巴巴望著：
來，媽媽，親親，啵，嗯那

現在她換了一個模樣
剛才她還和我臉紅脖子粗
她拿「自由與尊重」的盾
擋我說她「任性固執」的矛
我們各自認為對方
在自己詞語的道上
興風作浪，小題大做
兩條小支流匯合主流
便上演開始那幕

事實是每次爭執結果都會這樣
全然不理我正端著姿態站在高處
她會用肢體語言搭建領我下來的台階
我也就順勢而下

都 在

天上流雲，地上流水
它們都在，各司其流動的職

抬頭花落，低頭落葉
都是降落，都入塵土，相安無事

日子沒理想的好，也沒想像的糟
只是低眉時思念的心緒，不隨
秋風的涼薄，又濃烈了幾分

想必愛也是如此

從很多葉子邊經過
彷彿自己也是其中一片葉子
在很多葉子邊打量過
就知道了很多美麗的葉子

溫柔地停落在我腳邊、肩上
不願踐踏辜負
眼眸夠得著，愛憐拾得起的
願意珍藏歲月寬懷裡
在此後夜長露重更深的日子
捂在命運的掌心
撫惜它脈絡裡的
風霜雪雨

草藥獨活

沒錯，「我」就是一味
「獨活」的中藥草
長在繁華鬧市亦如
長在山野僻靜
與風為伴，與月為友
以絲蘿為誡，不依喬木而生
以藤蔓為鏡，不攀附位高的任何
孤獨生長，生長孤獨

將秋月春風埋進春華秋實
埋進孤獨，以孤獨餵養孤獨
孤獨消化孤獨，也以孤獨
為藥，治療孤獨
性微辛、微苦、微溫

祛俗世的風，除俗世的痹
止俗世的痛

「我」是「我」自己的病根與藥方
「我」是「我」自己的來源與歸處

在那裡

造一個包容的樹洞
掘一口守信的深井
在那裡,特別時
對著幽深默禱
意念不發出聲音
劇烈時吼出肺腑
也許有回聲感應
也許不
有時填進一些甜的
酸的詞語與句子
有時填進剛滑落蝶衣的曉夢
冒著熱氣,淌著謎與蜜
冬天時,飄些雪花
春天時,散些春花
又或者什麼都不做
只去近旁坐坐
陪著寂靜,也是好的

無辜的綠皮火車

我對火車沒什麼好感
尤其是穿著綠皮外衣
逐漸老邁的那種
又特別是立於深秋站台
蕭瑟風中的那種

它不是風一樣急急催我
遠離青春與初戀
就是風一樣頻頻吹我
背井離鄉

給孩子

長到這時候真好
我們互拍對方肩膀
拍掉拘謹與生疏
我們直呼對方名字
去掉長幼尊卑
自在而輕鬆

長到這時候真好
我們長成姐妹又長成朋友
你有你的自由主見與獨立思想
我們的談話進到
豐富與徹底的語境
兩條語河自如曉暢地流
我們談美，來自音樂
與泉源的其他
我們談化妝，談愛與愛情
談星與星相互照亮
有趣與有趣終會相遇

我們談花朵的含羞與含香
果實的風雨與芬芳
我們談理想，說它能
純潔一條路的走向
延伸一條路的遠方

父親生祭日的家聚

還是那些人，那些家人
多麼好，一個都沒被時間減少
只是老的又老了些，小的又高了些
還是聚在老地方
老景象的老味道
還是圍坐一張圓圓的大桌
還是那些嘴巴品著那些
酸甜苦辣的懷念與回憶
只有那些故事吃了
又會重新長出來，一茬茬
從他們早已去世的父親那裡
從他們早已去世的老屋那裡

蝸牛

牆上一隻做客的蝸牛
從花園來？
從窗台進？從浴室入？
它來自哪裡？怎樣來？
這是道路

它靜靜不動時
多麼像我像眾生
整日背著莫名的
孤獨與沉重

它將去向何處？
這是道路之後的道路
它不懈的冒險與攀爬
我猜並非為著困境與迷途

掃 塵

臘月二十四
曆書上說：宜揮塵掃屋子
掃舊的不順和不快
掃各家的門前雪
屋中塵之類
順帶拔除芒刺釘子
瓦上霜能掃的則掃
掃不到的，留給陽光掃吧
只是打掃心間的蒙塵
得自顧自的了

立 春

立春，是曆書上說的
真正的春天，該是和暖的春風
逐漸豐滿的春水
該是枝頭嫩芽，原野上草長鳶飛
該是身體突然出現的
顫慄與尖叫

你相信

你相信種子破土、春芽生髮
花蕾綻放，都是為了感應自然
某種神秘的召喚與期待

你相信風有風情，雨含雲趣
你相信魚雁翅上繫著
信達雅的古典傳說

你相信花朵不會白白含香
樸石不會白白懷玉
你相信美與美有對接的密碼與渠道

你相信星與星不說話，卻指引良途
你相信冥冥之中的刻骨交集
是緣說中回眸的分數概率，也是
水到渠成的的情意運途

知 了

早出土的蟬聲開花了
開在紫荊、榆樹、香樟的高枝
這小東西，身體小
來頭嗓門可不小
腹中收藏的道理可不少
這懂得處理高與遠的關係
知黑守白，守得雲開
見月明的哲學蟲子
在動與靜，蟬與禪之間
不停變換身份
我聽到它，我拍不到它
我知道它，卻看不到它
我高低左右輾轉
它領我走在一條
認識事物共通的曲折途徑

碾 壓

一個詩人說
結冰的湖面沒被碾壓是寂寞的
沒被碾壓的人生
也是寂寞的
原諒我不合時宜說一句
沒被碾壓的肉體
是寂寞的，而被碾壓過的肉體
更加寂寞

春光美

料峭裡回暖
陽光金燦，每束都射出
一把愛神之箭
線杆上鳥兒呼朋引伴
管它舊識與初見
撲左撲右逗引試探

海邊遊船，這又一支
游春的離弦之箭
嗖的一聲，越過我們的視線
歡浪捲起春浪，蕩漾復蕩漾

園裡杜鵑在開，子規在啼
顏色與聲音都沾染春天的綿潤

萬物都在投遞、接收春的訊息
我們也該打開身體的郵箱
查閱春的來信

墓

爸爸的那塊墳地
開闊向陽，風水好
泥土底層深厚結實也不潮濕
鄰居都說是塊新家好地
挨著還有些空地
足夠再壘一個新墳
再建一個陰間的新家
鄰居們笑著猜說
下一個會是村裡的誰
來這兒住
他們排前排後的列出了
好幾個等候的名字
彷彿死亡是個熟人

願世界善待每一個孩子

三個著泳裝的的孩子
前後左右飽滿洋溢的青春
滿溢過海水
我在她們身上找我的影子時
她們是似曾相識
她們是姣好與年輕
我在她們身上找我孩子的影子時
她們是身份與來歷，膚色與特徵
來自異國他鄉
我靜靜看著她們的眼神
柔和賽過海灘夕陽的餘暉
我想像大洋那端我的留學的孩子
那裡的人們一定也同我這般
柔和友好看待我的孩子
看待這個世界所有的孩子
接納包容她們的熟悉與陌生
就像寬懷的海洋親吻安撫
它每一滴水新的容貌與來途

類似命運相交的什麼

我喜歡白天帶來的黑夜
一份神秘幽深的禮物
富有生長性
黑夜這顆勃發甜蜜的種子
總有能力催生更多情節的親密
古老的花園不會在暗夜停止芬芳

我愛夜晚又不僅如此
我愛夜晚還因為夜鶯的品質
黑夜其實是不好對付的
一段旅程，這是一個
離開花園的比喻
願你可聯繫困頓中的更多
只有一同對付過黑暗
用生命的磨盤碾碎過黑暗膚骨
夜鶯般嘹亮過黑夜
字母般孵化過黎明之光的
那才是黑白之間

更深的完整與親密
這還是一個比喻
我說不清為什麼
但仍可聯繫際遇中
廣大的更多

梔子花開

愛之初的表現是
望眼欲穿的秋水在人群中
艱難而羞澀地
喊出那個
心底默念已久的名字

一朵梔子悄然開在唇邊
是夏似春

如 初

原來你們都相互偷拍過彼此
一份不約而同的小小心心
一定還有事物如初的
一些好感與心緒
就在舉起鏡頭時急促的
忐忑與緋紅裡
有花在開，有鹿
在跑

酷暑

用清涼的文字
在內心置一方靜塘
壘幾處磊落的山石
其間植幾株清蓮
幾棵搖曳但不糾纏的水草
幾尾生動的小魚
用心平與氣和餵養
風來，露珠來，蜻蜓來
有時你溪水般
清亮的眼神也來

觀香港海事博物館

必須融於水，洞悉水
才能熟知海洋脾性
沉默中瞬息萬變

必須迎著風，駕馭風
才有資格談論風浪
如何凶險又是如何被馴服

必須是木質或鐵質
打造為船，下到水裡
沐著風，追逐浪
征服遠方，彼岸異邦
載絲綢陶瓷，載往來貿易
載領海領空，載一條路
開闢與延伸的方向

必須用更多艱辛與兼程
餵養星辰與遠方，必須遇暗礁

遇海盜遇沉船遇傾覆才可談艱辛
談遠方模樣，談歷史流長與厚重

而槍炮與風浪外的我們
腳步輕，聲音也輕
生怕不小心，落入隔物隔代的輕浮

秋 天

秋天不適合仰望
和懷想

有蝴蝶移民
有鴻雁南遷

有流水將落花
遠嫁他鄉

腳 步

再次經過那個地鐵站她想起
她的腳步
它等過他，那麼多過客
像風等過風，腳步等過腳步
現在她的腳步一步步
吻過他先前的
一個城市，有他的足跡
每一步便不再孤單

只是如果站口有靈
如果腳步有知
它會不會喊出她踩痛的
那個腳步的
名字

眉上秋

在秋天靜聽斷雁叫西風
細數秋葉脈絡，升起詞語爐火
給美好加溫，熔掉惆悵
滄海尚未變桑田
她還能撿拾詞語的薪禾與星火
還能辨清暖風張望的方向

唏噓信，它黑白交替輾轉的濃密
終有一天會搭上那隻渡海的船隻
被順風順水稀釋
海鷗銜朝霞與餘輝，脈脈領航
一路向北，一路向上

雪與雪

如果你是雪，她也是雪
你們必須遠，必須冷
清冷是宿命，距離是
閃爍的良境
否則，熱的相融
是彼此消失不見的原罪

所以如果你已是雪，她
不能是。這樣，你可以
落在他鄉，落在溪澗
落在她的梅骨或桃肢

燈，或致詩

燈

路燈，家燈

眾多形色各異的燈

太陽與月亮是

我也是

火柴與芯舌都是詞語你

只有你知道我似火的

熱愛，興奮的燃點

以及到達中如何醞釀撩撥

只有你能把我熄滅

或點亮

有時相互

舊雪

一瓶經年舊雪
倒瓶倒敘進入故鄉
初戀情人特意埋在地裡
用來治你凍瘡的
滲透進冬天埋在地裡
又長在手上的紅蘿蔔
津津涼，捱捱甜
一埋就埋進一生的
記憶之土

其實冷治不了冷
雪治不了凍瘡
但這個聽來的
埋進愛裡的偏方
可治你從小的愛缺失
與愛荒蕪

香江，小雪，大雪，十二月

乃至以前以後的月
都不會有雪
可拿出舊雪來款待
新舊歲月

自畫像

我就是冰島
是個地方又不是個地方
形而下又形而上
地理版圖與心靈版圖交匯時
曾是個仰慕緯高
自求孤獨縹緲又飄渺的離島
體型顏面如物質敞開建築中
普遍的形式主義，心門
深鎖如幽林，林中小鹿小獸
早沉入千年濃睡
島四圍主動覆滿防備隔離的
堅冰，磅礴決絕

是有火山活於其中，冷艷中
澎湃。冰火兩重天自然的
神秘古老。需要有異於普通
富有極大穿越力超強溫暖力的人
破堅冰解深鎖才能抵達

你來了
你就是此生奇幻漂流中
可遇不可求的島上極光
照亮擁抱，照亮親吻
照亮幕天席地，雪野的床

影像描述之：兩份

在風中飄了多年
名字，就坐在她對面

現在
它的抬頭與低頭
每個動作都是
新鮮的

凝視與張望
是她的

有人上下車
不同的面孔身影
不停地擋住它
擋出一些鎮靜
壓住她的
兩份有性別之分的
迷亂與欣喜

就要跳出來

影像描述之：擁抱

春風拂面的
不一定是春風
因為愛，風
才是春風

擁抱是靈性相遇
是雙臂張開後
水到渠成

根及土壤的力量
生命對另一個生命的
尊重與激賞
讓嘴唇落到甜蜜的實處

因為愛，紐扣
成為打開身體的鑰匙

平安夜

一夜未能入眠
從窗戶望出去
夜晚的海匹配夜的深邃平靜
停靠的船隻枕著寬大的海床
進入沉睡

想到你愛的人總在遠方
你尊重他們在遠方
你可愛的孩子
你可心的朋友
你曾經的執子之手
他們都像一隻自由獨立
又自足的小船，漸次
在你腦海裡清晰排開

想到他們的勇敢追尋堅定嚮往
心中鼓滿張帆的興奮力量
想到遙遠不可及，張手
握不到的距離與蒼茫
美好又憂傷，但
沒有一絲絕望

五月，船歌

豎琴懸著肋骨
雲懸著月
蜜蜂把對花朵的承諾懸在
多雨的霧途

五月
風吹麥浪
也催她的羅裙
他的蘭舟

五月
邂逅沙漠玫瑰
硬把它看作
像是邂逅沙漠裡掘泉
荒地上種花
艱難中堅持的
人與物

立夏

那其實是被更多青年的歌聲
催著推著，不願走出花季雨季的
兩個青年——青梅與竹馬
前路憧憬又模糊
一條條錯綜的鐵軌伸向遠方的
未知與慌張

鐵道兩旁的夾竹桃與香樟上
蟬聲一天比一天催促
沸騰的聒噪煮沸一種警醒
激昂發聲需去往更前方，登上更高枝
竹馬家月下深井，芭蕉
櫻桃將熟未熟
像兩個青年的
前途未卜

叢 林

往左是海
是夜風
是你們的舊碼頭
回頭看是城市叢林
你們那麼小
小到可以，鑽進對方的
身體裡
胡攪，蠻纏

石榴又熟了

這飽滿多汁的肉體
高枝懸掛的不如下落已明的
翹首期盼的不如名榴有主的

汁液還原那年那場
熱烈的打開
動人衷腸的炸裂
劇烈，徹底
掏心掏肺又浸潤心脾
淚與體汁
斟滿夜的聖杯
月光與風任呷一口
都會臉紅，都會甜醉

消息的分娩

我折服暴風雨前的寧靜
像事物高潮前的停頓與屏息
我禮讚晨夜禮讓交替間的
第一束曙光
我敬待相聚前的分離
就像歡笑前的哭泣
彷彿破涕為笑的準備
一切變化猶如新生
虔誠誕下神聖
多麼盼望卻又極力按捺
彷彿迎接
就要響起的嬰兒的那聲初啼
初啼猛然劃破寂空
如釋重負，如臨新世
如是，我珍惜所有消息
分娩與到達前的轉折與交替
那份雪白等待，靜默中急促如
暗流洶湧，深藏不安又
滿含希冀

守夜者

此刻，夜的守靈與亢奮者
滑入沉睡之幕中
白天的蘇醒並不時時值得讚美
你剛剛喪失過夜的陪伴，幽深
神秘，火的傳遞
種子的創造與播撒
綠茵的拼搏，傳奇的見證
競技的吶喊與勇者的王冠
星子在暗夜亮出光芒
繭子在暗夜傾吐絲線
佩刀寶劍在夜隅熠熠閃光
蠟燭、燈塔、螢火蟲
夜鶯、薪火、掘墓人
新時代的提燈者
夜的同類好夥伴好戰友
催生更多的另一種星子

白天黑夜只是時空

虛掩的門戶與幕景
夜的深潛者觸到
星發光的身體與本質
聽見曇花蓮類升起
潔白靈音
海妖飄起黑色誘惑
海螺吹徹號角
浪潮翻滾，後浪蓋前浪

常見

大海與船影我常見
於是恆久與流逝
遼闊與渺小,我也常見

再過去的洲與海的懷抱
山與海的綿延與阻隔
它們之間雲中雨中
水中墨中的肅穆與留白的
深意,我也常見

我也常看見,近處的礁石
被海水與浪頭親吻擊打得
深而久的,表面顯出
光滑與圓潤,不再
突兀與尖銳

近處的窗口也常見
海上勤換的虹影與霞衣

也就常見多彩與變幻

我在這些事物與詞語中
看見更多的事物與詞語
看見故我與新我

影像描述之：錦上添花

兩扇靈魂之門打開
相互走向

在他們之間
他的靈魂是寶藏
是月老，是鑰匙
是打開玫瑰之門的那個良人
打開彼此兩道，先是心房之門
再是身體之門

這次序，後者是
他們的身體
在他靈魂瑰麗的錦上
穿梭織花，深入淺出
環環相連，絲絲入扣

綠皮火車

長久以來，記憶呼吸過往
綠皮火車早長成她心裡一塊
忌諱又堅硬的心病
忘不了勞燕分飛那年
老邁的綠皮火車鋪開
一路陌生與冰凍
風一樣吹她催她
告別初戀與故鄉

而現在
繼各種乘載方式落空之後
面前老邁的綠皮火車又長成
最後一根希望的稻草
她要攀著它
去到有他的地方
那裡，雪鹿歡騰，馬匹不羈
愛與光像連綿有致的山水一樣
充足生長

那裡，詞語的呻吟不跪在
生活苦痛的堅壁，只開在
浪花追逐幸福的河流

秋園的信條

原諒小部分路過的
不友善的風，不友善的雨
原諒樹上飛來試吃的鳥雀
搖晃樹枝，飛起驚慌
原諒樹下嬉戲的孩子
相互擲玩的小石頭
原諒另一些來意不明的
橫在前途的大石頭
原諒流水讓一些種子下落不明
原諒流水把落花遠嫁他鄉

夏日漫長闊大

夏日如此漫長
如此闊大
我們離秋日黃昏
離寺廟，尚有一些
菩提與木魚青燈的距離

就讓我們在愛著的花蔭裡
多清涼一會兒吧
我們放飛孩子這隻風箏
線團繞得很長很長
足夠自由繞過枝椏，遠望些什麼
我們園裡的鳶尾花開得很慢很慢
花期，能對蜜蜂延長些渴望的什麼
請求告別的車輛，慢些揚起俗塵
煙花，遲一些把火焰的劇烈帶走

七月的旅行

七月，飛船與馬匹
你們與太陽比熱情
古老的咽喉
時間的死水
謀殺舊我
謀殺舊日常

山水連綿有致的地方
星光無拘草木無束
你們斬開荊棘
逃開漩渦
在如玉的眼波裡
試圖用白雲
點燃青草

香江的秋天

大半年霸佔大半個舞台的夏
擠著一角瘦瘦的春秋與冬
葉子常年綠著，紫荊常年開著
香江的秋天是瘦削而羞澀的
葉子上少有，花朵上少有
衣著上也少有
即便有也短得可憐
彷彿如女子的短裙
懂得見好就收
你讚秋風風度秋陽溫度
恰到好處時
秋便已近尾聲

於是倘若心上無秋
傷秋的愁緒多半無處滋生
所謂蕭索與悲秋的詞句、意趣
你只好提著心靈的燈盞與流螢
到辭海、詞林裡去找

他 的 手

旅途時的指南針
事件中的方向盤
柳手劃醒春水的譬喻
撥弄琴音，教月色暈眩的修辭
火柴攜帶者，具體劃燃人
點亮燈火與雲雨
點亮身體

他們的聲音 —— 致音樂人

磁性的場
沉靜到水
垂釣的誘餌
消失時的欲擒故縱
釣起親密上鉤的甘願
當他們的聲音褪下白日的堅強
性感中調和感性，一種魅力特質
輕易喚醒一邊沉睡的春水

然而更適合，他們也更願意
把聲音安放在音符與旋律中
在波浪的律動中
詮釋起伏轉折之美
產生療愈心靈的藥引
他們撥動音弦的手想握住的什麼
也是他們打開聲音想握住的什麼

她 的 小 嘴

吸納吸附性極強的
兩片薄薄的海綿
小小的隱藏櫻桃的譬喻
隱藏音符潺流的清泉與玉溪
她早已越過鶯的
第一次初啼
第一次母乳的吮吸
第一次學語的囫圇
第一次爸媽的呼喚
第一次桃李演講的忐忑
第一次越洋的欣喜
第一次不同語言之間的轉換
原諒她偶爾情急下流出的
不甜美的詞句吧
小溪也有鬱悶不暢快的時候
祝福她
已第一次溫柔接過
異性玫瑰質的吻

她 的 眼 睛

兩顆杏核的鑲嵌
東西兩扇窗戶的內核與意義
「小眼睛也能有大視野」
一句哲理的話
一個蒽蘢的願望
一種結實的推動力
腳步安上時空輪子
眼睛安上顯微鏡望遠鏡
星空，國別，洲與洋
疆域，膚色，種族
見識，見聞，心胸
每一個閃光體都是一顆星
小眼一開一合
傳輸接通大腦枝椏
收藏懸掛更多類別的星
於是她的眼睛
也成為優於母體
優於昨日的
兩顆星

第三人稱代詞的描述

靠近他的肅穆時
如臨一座教堂
聽聆如受洗

翻閱時
如饑渴打開他這本書頁
頁頁如船隻，渡古今東西

蒼茫時
又如曠野雪凝望星
清凜中遼闊

緊密時
如小鹿嗅新雪，猛虎嗅薔薇
原野與原始

他 的 眼 睛

兩彎清泉的息居地
洞徹世事時
兩面明鏡，兩個高清鏡頭
明鑒與穿透，讓語言
與真相的心
顫慄或顫抖

左右窗戶即東西視野
兩個望遠鏡
傾向陸地，傾向海洋

豎琴與肋骨

站在豎琴你立著的肋骨前
我的肋骨是否
匹配你身體的部分
我們沉默著
彼此身上的高山流水
都需要一雙解意的手
需要密碼與音符恰好彈撥
才能發出契合動聽的聲音
我們不出聲
我們矜持等待
我們路過
互為道具，互為
插曲

我們的窗口

白天可以看豐滿的海
看長相各異的船
看流水的流，與流水的水

而夜晚呢
花園不會在暗夜停止芬芳
可以看花，看星星
看黑夜這顆勃發甜蜜的種子
看身體的山島與覆蓋的雪
這雪，有小劑量的蜜
小劑量的毒，剛好中和
致月色有恰到好處的
顫慄與暈眩

就在那個窗口
白天看我們，黑夜又看我們
我們也看我們自己
窗口看見夜色融入臉色，無與倫比
當你們融洽你們身上屬雨雪的部分
窗口看見玫瑰

影像描述之：島

航行在時間的夜海上

兩座島，平躺下

肩並肩水平面靠攏

其中一座的他睡著了

她不會睡去，她不願睡去

她捏著睡眠的鑰匙

她不打開，也就進不到

睡眠的繭子或房子裡面去

是不忍睡去

她島上的小鹿小兔小花小園們

仍然興奮著雀躍著

儘管他剛撫摸撫順過它們

它們貪心地延續著享受

餘韻與回聲的魅力

她努力枕在他起伏的氣息中

踏實閉著屏著

島下的海濤睡著了嗎

他的咳嗽聲不止一次像發出回答

他側轉身，她輕輕拍著他的後背
淺浪輕吻輕撫島體一角，漾著溫柔
這個總是被事務捆綁忽略自己的大孩子
她看到島上交織生長的荊棘，那些
塵世共通的各種身份與責任
那些去往高處的雋永理想
她在心痛中默記下睡眠的形象與輪廓
意義完成自定義

落單的蝴蝶

陽光把影子丟進岸邊

偶見一隻落單的斷翅蝴蝶
從它受傷的翅膀上
還原，曾經揀棲的
枝葉暖晴，飛過怎樣蒼茫的
山水，怎樣繞枝三匝的
徘徊與依依
聯想的漩渦一廂情願地
在化蝶的故事裡
打轉前世與今生

又被琴音扯回現實
眼前起伏的波浪來回彈撥
大海這張寬大的琴
弦音岩石上往復跌宕
一波三歎

桂子花開

我收藏的愛與幸福
如秋天收藏的小家碧玉的桂花
親和、綿密、細碎，懷香
富有延續的生髮性

源源傳遞暖流的手
不會枯竭的吻
屢次回眸的背影
落到身上的恰好的雪
深到深夜的祝福

世相，真相

飛蛾不過是貪多一點暖光
蜜蜂不過是貪多一點蜜汁
蝴蝶不過是愛跳花間舞
願中情間蠱，留戀踟躕
提琴嗚咽不過是羨慕一場化蝶般的
悲喜與追逐，曠古刻骨

世人不過是一泓水的流途
一腔火的抱負
不過是鹽的最後融入
磷的最後去處
不過是一抔灰
朝向大地的最後匍匐
不過二十一克輕與重的
掂量反覆

裝睡的人

不止是烏鴉在黑枝上
為人間掛喪鐘
乘風撞擊、飛濺
預言、教義、泡沫與灰燼
還有驚世駭俗的
那些蓄意熄滅
火炬與燈盞的惡風

鐘聲早汎過洋流
越過孤島
洞穴黑蝙蝠撲棱棱地飛
真羨慕在鐘聲裡在後天洞穴裡
繼續裝睡的人呐，已不問
黑白與東西

而上帝與星辰醒著
俯瞰著人間一切變幻與因果

答 卷

半生過去，對得起時光
我的過去並不是一張
一無所有的白紙
但沒有欠條，不欠錢也不欠情
不太皺也不太亂
我在紙上寫作文，通常會打
腹稿，沒想好，就不下筆
就像我愛一個人，也會慎重觀察
與挑選，沒有就寧缺，勿濫
我寫作文，知道潤色會更美好
就像我愛一個人，知道誇讚
孩子也好戀人也是
包括致自己
紙上文中會
透露期望，構築願景
有些塗改
但不一塌糊塗
雖不賞心悅目
但也黑白分明
揚抑有致

活著

見的人越多
值得恨的就越少

都不過是
複雜機器上的小零件
浪潮中的小水滴
疆土裡飄搖的小雜草

都身不由己，又都
情有可原

向蝴蝶族致歉

很是抱歉
無論你們身在哪裡
陽光下，花叢中，溪流邊
我總把你們看成
要麼在墳墓中心
要麼在風暴中心
雙翅繫著蝴蝶效應的
言外之意
或梁祝化蝶的
弦外之音

月亮

我深愛著時間的
斑紋與殘缺
我知曉積木的
拼湊規則

我愛的人
是這宇宙深處的
一塊積木與補丁
鑲嵌缺口
縫補圓滿

影像描述之：劇中的七夕

青草帶著落日的餘溫
這時，你們席地而坐
你彈起你心愛的土琵琶
她裁幾縷清風伴奏
一曲終了你們又隨意
擰開話語的水龍頭
普魯斯特的年華似水啊
孔老的逝者如斯
後來你們還聊了古老的蘋果
以及最初的玫瑰
最後的青荷

影像描述之：禮物

曾是，彷彿是
也確切是冬春纏綿交接之時
風的吻燈的眸變得格外溫柔
穿過舊的街道與霓虹
長椅上不停搔癢後背的你
隔空搔著她的激動與緊張

燈下，你打開
三樣春天的禮物：
早春懷抱的暖
柳絲輕劃湖面，自然清淺的吻
「見一面就走」——
話語觸過牽掛一詞的內核

背影彈起回音

懂 音 者

一架琴頻頻陷入聯想
身體是身體，靈魂需借助身體
如果身體不能發出最美的靈魂之音
它是否寧願重回森林或樹叢
把自己還原成最初的一棵樹

有懂音者欲來
一架琴知道
那雙最佳彈撥的手
會重新把自己的肋骨奏響

落葉

園藝工在林間清掃著
落下的秋天
準備把秋天的下落
裝進一個籠統的大袋子裡

同時裝進一種善解人意
這樣，春夏風中相慕
卻不能相擁的
千萬次致意與嘆息
結局時終於可以在一起了

霜降

越來越知季應景的髮膚
秋風一勁吹就露出禿髮

鬢霜趔趄噴嚏的小破綻
越來越清晰的歸途裡
越來越敏感的月光蘸著凝霜

磨著歲月這把
越來越鋒利的刀子
割著越來越薄短的煙霞

它們合力拂開煙雲
讓越來越加速折舊的小生命
露出更多嶙峋如樹的小徵象

金桂早謝，枯荷更殘，霜楓更紅
在月白的刀崖上量度前程的
旅人吶，黑夜長，小心衣衫涼

血玉

年輕時我得到過一塊
質地上好的血玉
那玫瑰樣的血性紅裡
看得見愛情清晰美麗的經絡

後來不小心被生活的利石磕碎了
一同磕碎的還有年輕的愛情
以致於直到今天我對玉
又愛又敬，小心翼翼
既渴盼，又害怕擁有
與拿捏

散 步

街道裡，人群中
大海邊，夜晚的碼頭
你們散步的意義大於散步
有時並肩，有時一前一後
起伏的心緒如海潮更迭

你們在風中揭開傷口
說起流水、浮萍、落葉
說起身世來歷
不擔心被輕視被嘲笑
目光裡，停頓的默語間
綴滿人世共通的無奈
與雪白的愛憐

你們在路燈下交換相悅的眼神
融合光的概念，也融進蜜的喻意
通過蜜蜂與花朵的嘴唇
那時，除了晚風溫潤的舌頭
沒有誰比你更適合
讚美他

花，還是要開的

貝類在沸水中
慢慢打開豐滿的自己
多麼好，即使月亮與煙火
都那麼古老
想到愛，見到身體
還會面紅耳赤，小鹿亂撞

那片森林，那片原野
原始未曾荒蕪
一到春天，蛇會蠢蠢欲動
園裡那株桃花，枝上
又綻出新花

立春

再久一點
明月就將露出輪廓

再深一點
魚鰭就將游至海床

鐘擺再辛苦一點
時間再成熟一點

陽光再猛烈再集中一點
兩隻豆莢，就將炸裂

蹦出豆殼的種子
滾落大地的春床

小 跑 步 的 歡 欣

站在越來越退後的人生長河裡

回望許多年前初見時

從俗務中拔出泥足

小跑步去迎接一個人的歡欣

沿途的景物一個勁後退

叢林與荊棘

流星花園，海底隧道

一列火車開出肺腑

你的馬蹄聲越來越近，越來越緊

懷揣的小鹿能感應

生日時致母親

三月的身子要懂柔骨術
要把自己盡可能地縮小
一次，小成細胞
倒敘回溯
回到一條河的源頭
游泳的蝌蚪
甚至回到桃花的紅暈
父母年輕的緊張與親密

那是初夏，荷花嬌羞
櫻桃正紅，玫瑰
含苞待放

女兒的手

細巧纖長

連著一顆細柔的心

曾經為著心中的理想

拖過重重的行李箱

揮手告別她的舊我跨出國門

異國支教時握過粉筆

端過攝錄機

融入更多新面孔與新事物

現在她剛接過心儀的玫瑰

將來要拔更多生活的釘子與荊棘

移除更多阻礙的石頭與

突如其來的壞事物

願她掂過沙漏，捧飲海水

充分認識竹籃取水的局限之後

每一次出手都

得心應手

簾子

起風時，它是告訴
疾風時，它是緩衝
與窗戶相鄰相伴
有時也垂憐普通人家尋常的
風花雪月夜，煙火人間的
小情小趣圖

垂掛簾卷西風的古典詩意時
便見清照半醉半醒隔著簾子試問
「綠肥紅瘦，海棠依舊」

還有一種特別的簾子
有大志向，大抱負
站到了歷史與政治的台階
垂下時是執政與聽政
簾子的卷舒與動蕩與否
決定著社稷與江山的運命

居高聲自遠

夏日午後，林間高枝
蟬鳴掀起起伏的波浪
搭起抑揚的講壇

四年泥土裡的黑暗苦工
掘得雲開與月明——
一個月陽光下爭鳴與歌唱
它站立的高枝
撐開風來去的具體寫實
也嘹亮站得高自然傳得遠的
一脈信條——
將士的吶喊，賢士的理念

沉默的原由

寒蟬、石頭、深井
那些啞然的事物
彷彿你的知己

緣於牆，緣於圈圍
緣於尚未抵達
你有陋語無法深述的妙境
你有俗世不願示人的隱秘
你有亂世不敢發出的聲音
你有不願苟同附和的倔強

水的哲學與智慧

依然是時間之軸

旋著星球的經緯

日子的水流撫摸每一寸山河

歷史的流水漫過

進入山河的肌膚肌理，流到當下

焦點集聚多麼小的一點——香江

發生多麼痛的故事與領悟

一顆「東方之珠」由歷史的海水與淚水

浸泡孕育而來

這顆照耀並供養世代生息的明珠

還將由淚水繼續洗禮下去嗎

我看見許多的人站在香江的潮水中

一些向東，一些向西，背對著

兩套水的哲學與秩序

兩種爭坳，兩種堅持

兩種排斥，水火不容

只有少數人在低頭耐心看

腳下的水是怎樣東西融合著

向前流續的

晚 安

晚安，野蠻叢林，文明階梯
晚安，東西相爭或東西相融的
視野與舌頭
晚安，東邊日出或西邊夜
或者相反

晚安，伊朗南美示威中的
破壞、建設，破壞與建設的
唯物辯證邏輯關係

晚安，黑暗中的墨與烏鴉
晚安，黑暗中黑擇明的眼睛
晚安，風雲變幻；晚安，風花雪月

晚安，井；晚安，牆
晚安，橋樑；晚安，窗口

晚安，壁上觀的壁虎

晚安，沙中鴕鳥
晚安，火中鳳凰
晚安，意見中領袖

晚安，陣痛中的曙光
晚安，母腹中的新生

珠冠或珠環

似一個走馬觀花的過客
一座城市來龍去脈的歷史書海
你只匆匆翻過它幾頁封面
像一艘旅行的船
航過海的表面
你只是其中搭乘的一員

直到遇上一場澎湃的海潮
不住地翻湧吐納
把藏於海深處的一些寶貝
裸呈於表面
你禁不住它們的閃光與美麗
打撈撿拾了一些：
勇氣，智慧，創意，團結，堅持
自由，尊嚴……
這一顆顆美麗的珍珠
串聯出東方之珠的冠環
在跌宕歷史的潮流與書頁上
熠熠生輝

冬天不只在冬天

離枝的落葉與落紅

冰凍的雪藏與雪墓

枯竭的靈感，鏽鈍的筆頭

結冰的關係，分手的淚眼

搗毀的巢穴，瑟縮的生靈

困頓的財政，催逼的賬單

到期的房租，被迫的搬遷

天橋底下的流浪漢

路邊殘疾的乞討者

握不住的距離與蒼茫

展不開的眉頭與掛牽

深重的霧霾，陳腐的觀念

陣痛的真理，難產的新生

斷翅的蝴蝶，折翼的鬥士

冬天不只在冬天，冬天不只是名詞

冬天是更多代言困境的形容詞

嚴酷又嚴峻

從一顆世象的大樹上
落葉一樣季節不分，好歹不管地
簌簌落下

致石川啄木，致自己

細敏的心啊
無數事物的情緒奔赴於它
退場與褪色的那些
柔柔的不經意

就像秋天憶起夏天的
那隻蜻蜓，在生命的餘數中
清清的點水

玉君

星光，流水，島域
眼神，聲音，身影
深山幽谷的氣質
與氣息
都是你走過的

我見過太多
脾性與言語
眉眼與身形
哪怕外形也與你相似的
而他們都不是你

他們，對美孤獨而迷人的
解釋與守護，不及你

誰能釋放春天

誰的黑手打開潘多拉魔盒

囚禁眾生的春天

災難舉著一面顯形鏡

那些依然沉睡者

給他們鬧鐘

那些討巧堆笑的舔嘴

幫他們擦去塗抹的蜜

那些平庸之惡者

上帝與苦難或許能將他們救贖？

那些逢迎與喝彩者

口罩能蒙住他們的嘴巴？

那些軟骨與軟膝蓋者

給他們鈣與石膏攙扶

而那些黑夜裡的提燈者

給他們更多燈芯與火柴

那些勇敢諫言者

給他們更多紙和筆

那些逆行的拯救者
給他們更多實質的保護與資助
那些解剖時代癥結的醫者
給他們更多的顯微鏡與手術刀

影像描述之：初見

去見你
拂掉身上的浮雲與凡塵
又裝滿自卑與忐忑
拼接一生走過的路與橋
那些表面的風景
那些淺薄的見識
跟著顫顫巍巍

她不擔心春天的身上
自帶花蜜的氣息
她擔心吃過的米與鹽
遜色你學識的雪
擔心摸過的石
不似你靈域的玉

墓碑

音樂家蕭斯塔科維奇曲中
聳立的墓碑
是用音符與憤怒做成的
祭奠蘇國特定時期
悲哀逝去的人民

詩人里爾克的墓碑上
刻著「玫瑰——純粹的矛盾」
這墓碑我認定是用玫瑰與詩歌做的

它們都顯大氣，歷史厚重
你心裡也有一座雪墓的墓碑
小氣，早熟
是用雪與青春做的
裡面囚著一株早夭的
失敗的玫瑰

影像描述之：細節

成就與情義稱讚他時
他低頭在弦上
來回輕輕撥弄虛懷
那若谷，她喜歡

他把蓬鬆的頭
埋進她懷裡
埋進乳汁飽滿的柔光中
調皮摩挲
親密喚回孩子氣
塵世的桎梏知趣滑落
那放鬆，她喜歡

從極樂園的至高降落後
他溫柔攬她入海懷
輕怕後背，撫平浪潮
細節書寫愛的品質
那完整，她喜歡

已生成

夜色，低頭闌珊
聽見河流奔騰
與最終的流向
生命終將歸於空寂
與虛無

來途清晰
抹不去的凝重
真實溫暖的擁有
匯接路途，呼喚與笑語
呼吸與歎息
溫潤的汁液
爭執與誤會後
雲淡風輕的寬容

時間涯野上最後的
玫瑰，玫瑰的最後

致 啟 蒙 者

是光，廣布古今東西
黎明前飛鴿發出的哨音
是最先仰望星空瞭望大海的人
是天亮前的啟明星
光明到來時的預言與序曲
處理社會及時代肌體舊疾的手術刀
地平線上它照見並糾正
事物傾斜的脊樑
釐清事物混沌的常識
負起普識與普世的使命
他們發現燈塔又自成燈塔
是開闢遼闊航道的先鋒
帶領智識與時代的船隻
試水並駛入更寬闊的海洋

骨

測量骨頭的軟硬
可用權柄敲打
是青松之雪骨還是
折腰之媚骨
是阿諛奉承
戀棧權位
還是東坡式的
吟嘯徐行
東籬種菊

還可用代言的受眾
是為草民的多數
還是為權貴的少數
那為蒼生說人話的
比為官說鬼話的
勝人不止一籌
也人鬼殊途

庚子年的春末

明媚的春光裡
一對新人在樹林合影
咔嚓咔嚓的拍照聲
唱響新生活的序曲
飄逸的婚紗徐徐牽開
新生活的序幕

大地上嫩綠的葉子
終於重新站回昔日的枝頭
熱鬧擠擠挨挨

熱愛跑步健身的人們
重新踏回往日熟悉的軌道
空氣如腳步一樣自由健康

這病過的貧血的春天
正在努力貫通新鮮的血液
正在努力扶正人間的秩序

夏記

樹木成蔭，作物灌漿
果實儲糖，情感茁壯
這是事物成熟需要歷經的季節
萬物搏動生命內部的時針
萃取天地精華與能量
一切物理的化學的
都在光天化日之下作用
就像你們在春天就已撥動夏的時針
滾燙的言語你來我往，熱氣騰騰
夏天就該是這樣生機勃勃的

在夏天的林子
遒勁勃然的根凝視你們
在夏天遇到一棵熱氣騰騰的樹
是樹林的大概率
在春天在任何季節
遇到一個想起就熱氣騰騰的人
是人生的小確幸

香江是個海

一些河流在中途放弃了
一些河流偏離了方向
都沒有繼續流進大海

不是所有的河流都可以融入海
不是所有的河流都願融入海
——當他們從異鄉來
他們捨不下肩上的深井

父愛

堅毅，深沉，包容，可依
如果父愛像山像海
他就是不斷提供愛的材料
保證材料品質
讓山讓海成為立體可感的
那位父親

山與海在世事這個巨大的工房中
日益加固與完善
負責接收與讚美的是女兒
接收的時間很長
將花去一生
因為愛的材料還在不斷供給
因為山與海還在不斷壯大

銀杏

在銀杏樹下
你與銀杏一樣
不動聲色
兩片明麗的葉
風中重疊的故事
那是純粹地愛上
你矛盾又兼容的廣大
或具體而狹小的
一個吻

愛上一聲帶著破綻的歎息
意味著愛上一張
不按常規出的牌
就像吻遍了她的原野
卻又不知所措

粽 子

天下粽子何其多
叢林中會行走的
不會行走的

被瑣事層層粘覆
被生活的繩索以及道德律
密密交替捆綁
自縛或他縛
不同形色
各懷原由，各種滋味

你也是其中一個，五味雜陳

深

春風的手深進桃花潭的歡欣
生命的小舟深進河流中心
墳墓的塵土深至一個人的
半身與半生
尖銳的刀子深進果實內核
就像敏感的詞語深進事物本質
我深藏起來的眼神與詞句更犀利
就像世象隱匿的真相更荒誕
也更殘酷

秋實

錦囊密封著玫瑰

芬芳溢出秋天

這曾在夏天怒放過你們的玫瑰

交纏的玫肢

攪動的晨昏

雨露的部分

秋天的河流後退的地方

河床在前進

它的寬懷裡安躺著

夏潮的記憶

影像描述之：早春

夜色簇擁著你們
一對新人走在一個舊的園子
三兩跑步者掠過
你們小鹿般結實的小緊張
年輕過他們矯健的背影
路燈如明月
你伸來供她攙挽的手臂
戀人的親密氣息
玫瑰的醉人氣質
在橘黃色的林間道
她想挎上，手又被矜持止住

本是殘冬
紫荊，榆樹，耳果相思
在暗處站著觀望
你們的欣喜與羞澀
你攜帶的兩袖春風
將彼此領進初戀般明亮的春天
這春天，她已遺失很久

玫瑰雲

流雲千帆
流水知己

漂浮於塵土之上
流逝的雲朵中
採擷別致的那朵
大小，形狀，色澤，脾性
在天地間體態轉換的屬性
化雨時的溫度
流轉於身的感驗，感性
又性感的濕

這朵雲雨中
質地上好佳的玫瑰雲
只在你城池裡循環往復
引領你在天上飛
魅力與能力呼應你想像

出 處

互訪心湖的兩隻
質樸的精神小舟
他奇思妙想的翅羽
他言語的和風細雨

——昨日，面對大海泛起的
浪花與漣漪
細細思量了一下它們更多的
出處，廣大又細微

港 大 外 的 道 路

讓醉返回酒
返回山色
讓花的嬌喘還給月色
——盡是好酒

臂膀有力
聲音性感
就差在山道上
穿插與貫通
這另一種酣暢的酒

就是這樣的
港島線之終點
月台像床

史鏡

文字的棺材
拋出某帝國歷史的屍體
顛覆觀者認知
主體早已腐朽分解
掌控歷史的狂人
早不在日光與鎂光燈下行走
是正史還是野史
是真是假，棺木
與語句灌注多少水分
只有上帝可知

可以看見的是
草民們的後代
在新的日光月光下
一些在舊土地的邊緣飲霜
一些在新土地的爭奪上飲彈
還有一些精壯的出走陌生的邊境
躲至更遠的土地

動蕩，迷茫或彷徨
日月一天天見證
也一頁頁書寫著
他們卑微的正史

大寒

怕什麼
即使連黑夜的門都關上
還有夢鄉的門值得期待
你們坦然地敲或互訪
除非那不老不死的
死亡，它也來臨

如果死亡也來催逼
你們就抖落俗塵與浮雲
一縷煙般輕巧脫離時間
回到一直想回的純粹的自我

不再困擾於時間與物質
不再糾結於存在與非存在
不再為難基本需求與欲求
不再承受一切形而上
形而下的牢獄與枷鎖

多麼好

多麼好的你們
一支箭串著兩顆心
一朵雲跟著另一朵雲
一滴水飽含著另一滴水
你令她快活，她令你快活

多麼好的美好
一年四季
你們手中的詞語總能
奏響春天的豎琴與肋骨

影像描述之：春光美

一聲閨房
憐香就推開春天的心扉
桃肢吻醒春水
他雄健，節奏而有力
他站在春天中央
生機勃勃的主角

「我對你的背影比你更瞭解」
脊梯，肋骨在春天裡生長
四面八方的雲朵
翻卷自如

信使

雪是信差
投遞冬天

城市與鄉野
這寬大的信紙
寫給人間
那些相似的腳步

枝條上綴滿
花朵的來信
我寫給你的三言兩語
不知雪把它們存放何處
三月還是二月？

此去經年

這一年很難
病毒肆虐
考驗中凝聚
我們的話語
春天料峭

堅壁柔軟的雪片，落得很密
情意很近
新年那個藍色擁抱
觸摸性靈的部分

心的錦囊
釋放又存儲
玫瑰或蘋果的香氣
它們足夠香溢
此後經年

夢之雪曲

夜晚天氣好的時候
會看到閃閃的星星
夜晚靜下來的時候
會想到你

只是不說
無聲又無息
像月光照在多夢森林
像雪花睡進綿延的夢裡

慈悲是另一種無奈

如果終有一天
我學會愛眾生那樣的愛
如果經驗供給人間更多失敗與失望
我也貢獻這種經驗
如果我看事物的眼光越來越
退後，剝離現象與本質
訓練出上帝之眼超然的視角
跨越國界、性別、個體
一顆心，博愛，悲憫
懷著菩提，理解：
眾葉都經風歷雨
眾生皆苦，皆難
眾生都有漏洞與局限
都有愛而不得，愛而不達
都有情非得已，都有情不自禁
又都情有可原

如果世象的樹上結出了

疑似境界的果子
它更多是由眾生的
無奈供養

不 放 過 你

溫柔的狠話
甜蜜的武器
用來對付嘴唇、香氣與雲雨
最狠的可以是
槍與子彈，以及子彈裡的種子
要出人命的種子

語　言

把愛放在心中
不如把它
放在文字裡
這古老的語言，總在
下一代手中翻新
像星星的夢境
出浴的朝陽

影像描述之：天空之城

它不來自河流，不跟隨船隻

它不來自街道，街道上車水與馬龍

它來自天空之城，它乘雲駕霧

你愛的那匹馳騁自由的天馬

天馬行空

它來自雲，來自玫瑰雲

它載花朵載翅羽，載雲河漣漪

天氣好時

它載來雨

好雨知時節

好雨解風情

好雨在雲的腰部彈出靈音

回聲

在語言不能深及的地方
典籍閉嘴
總有一處可以深及
明白，與存在
都是時間的臣民

但是誰怕？雨季衰老
最雄健的那條河汊
傳遞流雲，明媚花朵
回聲與餘韻足够
再度青春

愛 —— 致佩索阿

他愛羊群
常在夜空恣意放牧

他愛玫瑰
但不是人人都可以採摘的那種

他愛蝴蝶
一生都在捕捉文學與詩歌這兩隻

他愛美德
認為死後的聲名比生前重要

立春

再久一點
明月就將露出輪廓

再深一點
魚鰭就將游至海床

鐘擺再辛苦一點
時間再成熟一點

陽光再猛烈再集中一點
兩隻豆莢，就將炸裂

蹦出豆殼的種子
滾落大地的春床

影像描述之：熔化

「新年從熔化一輪寒月開始」
太陽寄出多年後的信語
月亮終於收悉
一個熔化的比喻，關於心

月亮與太陽
引起潮汐
引起他和她身體上
浪濤翻湧，水滴相融
這，還是一個比喻

一個此後被證實的
熔化的事實

影像描述之：寶藏

鑽石、美玉
它們是精魄的寶藏
把自己埋進至深
與光相見
就是與灼熱的火焰，
激情的岩漿相見

相愛的人兒
深情觸擁不能自拔
那是時間反覆擦試下的
對一株玫瑰的好感
是灰暗的重疊在折射
反覆的身體的波光

碼頭

你們談愛的時候
碼頭牽引你們
舊碼頭是潮濕的信物
是無人時，唇間被咬碎的月色

是一個身體裡的潮水
暗示另一個的起伏，長出的
一截熾熱紐帶

大與小

我熱愛小的事物——
碗裡吹起生活號角的米粒
瓶裡酸甜麻辣的粉末滋味
指尖或海床上的的鹽
身體上的蜜糖與雪

我讚美大的事物——
闊大到洲洋
到真理到文明的光
神秘到天際到宇宙的星辰
十字架上的聖靈與信仰
這些燈塔，那些支柱
有形與無形

小的事物讓我緊握
大的事物讓我折服
小的事物讓我低頭
珍惜自我的生活
大的事物讓我抬頭
仰望世界的寬闊

五月及小滿日

一場風暴，止於五月
話未說盡的玫瑰，路未斷絕的
事態即餘地
五月的盈凸月在天幕的畫布上
一天一點塗抹自己的小圓臉
互換的圓滿

五月的人便是石榴與鳳凰木
攢著的火焰
點燃與被點燃的小生動都是
小歡喜

校園

拿出體內一生的雪來
款待彼此，款待
剔除旁枝的玫瑰

校園裡，星星撥亮燈盞撥亮
錦瑟的弦，也撥亮深水區的
小舟

靠攏，挺進
月色暈眩
港灣完成定義

如果再變成摩擦的火柴
身體便是夜空

芒種

那年芒種
你們種下時節
種下靈肉
和土壤裡的芒刺

棘手縈心的柔和
夠你們享用

所愛

你愛的人不擅長平庸
泡沫輕浮
你愛的人，靦腆與內斂

你愛的人
沉穩的實幹家
他看透本質
征服核心
俘獲你芳心的秘技
似火柴擦亮夜空
而擦亮彼此的方式
是升降的方式
也是無害的

滾燙沸騰
從岩漿深層擴散

影像描述之：熟悉你

熟悉水中
隱藏的火焰
生命之河
形狀與烈度貫通

浪花的手，急緩緊舒
像身體中的新浪潮
沉睡的輪廓
兩座島，或兩隻船
停息於時間的海床

傷痕與皺紋
對她打開，且述說
關於你們的領域
廣度與深度
都與讚美相似
劇烈又無聲

黑白灰的完整

像你們的共存與共生

像腹部的雲霞

鏡頭中的夜鶯

泅過你們的呼叫

愛 的 要 義

閃電、燈塔、燭火、星辰
向上的光明
也是飛翔的事物

紛亂與迷茫中
聚成光束
擰成金色的稻草、藤繩
領你遠離泥潭、危崖、荒原
與深淵

翻耕你的土地
如同翻耕果肉、汁液與香氣

舉起你身體的空洞
就看見你沉默的溫泉與星空

影像描述之：蘋果花與斷腸花

「此刻，孤單襲擊我倆」
語言的槍膛射出
傷感的子彈
洞穿想念的內核
蘋果花斷腸花的汁液
相思既甜又苦

巫山痛惜的抑鬱與難受
是雨落前飽漲著腹部的雲

誰看到，洞穴容納水
容納火焰
誰在原始的承接中
遇見呼喊

在一起

你們在一起
蝴蝶與花朵

你們在一起
水上，行舟

你們在一起
山水依風的修辭

天使的翅膀下
音符吉祥的光
你們在一起
精華與甘露

向日葵

從來沒有孤島

壞消息的風無孔不入

侵襲自足的內部

天災人禍自殺謀殺

戰爭瘟疫空難

儘管世事讓人沮喪

儘管流水流向低沉

你還是要學植物腳踩大地泥土

汲取甘露養分

枝葉向上提振

你眼眸還是要仰望天空與光束

你腳步還是要走進往常的麵包房

選取奶酪果醬與麵包

星球旋轉是為延續宇宙意志

我們在星球公轉裡自轉

安撫內心情緒

向著各自的個體意志與生活秩序

蓄存更多的力量

集聚更多的時間

看更多的光吞噬黑暗

看更多的語言嚼碎謊言

從生物與人類是進化還是演化的不同

對比文明是進步還是倒退的症狀與意義

看黑夜裡的提燈者播下更多的星光

看向日葵生出更多趨向光明的新臉蛋

香江，一種溫暖的感覺

是山城
是身體地貌曲折蜿蜒，高低起伏
是人文性情山青水秀，人傑地靈

是一個地方，在心靈版圖上佔據一角
是一種潮濕，在心海上攪動鹽與漂泊
又或長或短撫平褶皺，安頓歸宿

是你一句「回家的感覺」
給予一個地方最高褒獎
對守望的眼眸貼心愛撫

是你這葉來自江上的個性小舟
挺進港灣或碼頭
海上或江上自由的風浪有沒有不同

好天氣

是祥雲
是和風
是你帶來新雨
以及新雨般的好消息

是靜野聆聽天籟
是突聞風寄琴音
是螞蟻馱回過冬的食糧
是鳥雀銜回築巢的好枝
是鴻雁捎來玫瑰的信語

力 量 的 途 徑

偏愛植物
離群索居不是理由
就像安靜不是世間唯一品質

虎尾蘭長高個頭
綠如意抽出斑紋的新葉
萬年青打開緊握的小拳頭
常青藤把良好的關係四處牽扯
在它們身上有一種力量
來自另一個植物性的世界
提振你脉管血液向上湧動

活在世上，我們總要從別處
獲得力量
活在世上，我們總能從別處
獲得力量

指 認

喜歡從沙裡淘揀珠貝
喜歡看獨立的鶴
我也喜歡凝望夜空中閃亮的星
安靜，卓然，出眾，自帶光芒
——這些特質，這些集合
它們都輔助我從人群中
指認獨特的你

二〇二一

這一年地球村的橄欖枝
仍在病毒肆虐的風暴中
來回搖晃，彎折

這一年我們的情感之井
呼吸著往年存儲的玫瑰蘋果
以及康乃馨魯冰花的香氣
面容依然溫潤
結構依然深厚

這一年，碼頭、港灣、渡口
仍枕著潮汐與風浪
日夜翹首歸航的
纜與錨，堅守著世界大同的
等待

影像描述之：旋轉的夏雨

兩條魚在時空的甬道裡溯游
懷念饑渴，接受投食
食物是街道路牌的名字
也是河流的彎折程度

路，等過腳步的品質
腳步親過腳步的輪廓
空氣撫摸了天氣的話語
一齊走來
清晰的腳步踩痛了
新人的影子

推開旋轉門
像推開一座透明的水宮
他臉上有龍王的表情
高貴的羞澀
他手裡拎著一把長傘
兩條魚困在夏日的溫柔裡
吃雨

影像描述之：初雪

一條河照見故人也照見新人
風光澤被你們，夏日責備
也是你們
那條河的名字，叫新人
也叫豐滿的身體

孕育與澆灌的事物
比如高大的樹
比如臂上的蟬

比如初雪時
腳步的回顧裡
只有夢想的脉管
物質的路徑
與身姿的沉默

影像描述之：讚美鳶尾的方式

風吻鳶尾
是及物的一種
梵高的筆種植鳶尾
也是

你的話語
「你就像一道午後的鳶尾」
是及人的一種

而讓她及到你
及到你那顆心，那雙手
是及良人又及譬喻的一種

風唇的溫柔，筆觸的細緻
像雨似雪，在鳶尾的身上
紛揚，飄灑

影像描述之：春信

初見，是早春
林深見鹿，海深見鯨
深藍外套散發熱量
胸懷恍惚

他們，猶如兩封春信
面對面讀出自己
中間那首曲子
一條發光的紐帶
心弦悅動，葉子的
節拍

夜如指短，如星亮樸
兩隻紙杯坐到打烊

我 的 詩

水上、雲上、煙塵之上
我不在乎
油墨香浸的書頁
碎紙堆、垃圾桶
我不在乎

誰進過你的心裡
有過莊重的鴿子與
煙雨似的小鹿
領頭的雨露

時間之樹

水照雲天
色染果葉
斑斕又斑駁的秋天
向上
枝頭的果實
向下
塵土的落葉

果樹下
風翻查我的頭頂
陡生的疑竇摁住我
大腦的枝椏

一個聲音問：
你的時間之樹
成熟什麼樣的
果實

我不由緊了緊衣衫
觸到羞澀的衣袋

將老虎放進遊戲中的軟體眶

心儀的瀟灑與自由
威武英猛的王
在原野與月夜
呼吸群山與野火

像惜花與惜人
風情霸氣
一半從身前
一半從身後

現 象

那片土地僵化板結
頑固又閉塞
那些雜草、灌木、荊棘、蕨藤
它們纏纏繞繞，攀攀附附
集體排擠良禾與喬木

時 間

鳳凰木
今年的濃蔭在今年的花開之後
去年的果實在今年的濃蔭之中
一棵樹既是時間的小偷
又是時間的巡捕
花葉離開枝頭
它們竊去的時間
果實與種子又將它們擒回
我在樹下旁觀這一切
我在樹外
又在樹中
我也開花
我也結果

影像描述之：記憶城堡

睡著的路
喚醒塵與風
身體的節奏與氣質
星子在高處注目，而低處的嘆息
它們長得低眉
又順眼

草蔓細流，春風暖陽
那些最本真的綻放
是催開的密碼吧？
放你進來

父親去世後

空房、孤枕
時鐘、黃昏
這些詞成了敏感詞
像一粒粒釘子
獨對年紀不算太老的母親

時鐘敲打四壁
催促她清點一個個落日
這些詞
成了孤單

為著不讓它們指向
母親的餘生
也是守護一朵花
最後的自由
我們尊重母親重新的愛
與被愛

她的情意同質於大地上的棉花
與河流
溫暖、綿長
夕光中她們相互凝望
後來
事實與想像高度重合

食 糧

你愛內蘊的良稻
飽滿與低調的
水生植物
它餵養人類
像他的身體
餵養你

這有機的流逝
無機的時間
充滿了緊閉的
倉戶

夏日最後的玫瑰

香氣多維，層次碩大
情感領地裡最後的玫瑰
是無毒的罌粟
在清淡花季下的喜悅

不會再有了，閃電下
蹦到嗓子眼的心跳
顫栗的欄杆
落寞的美

理 由

盤踞的藤蔓
纏繞的羅網

未消盡的春光
未燃盡的夏焰
未解縛的語衣與詞帶

星辰大海間未能詳盡的事物
煙火人情裡未能深述的妙境

詞語向前走的動力
提起筆書寫的理由

讚美詩

稻穗們不成熟也擠挨在一起
它們是在相互讚美
我想，把玉放在錦上也是

那個潔身自好常懷抱雪的男子
內蘊飽滿，低調又謙潤
你看，他正攜帶自由的音符
穿過舊街道與霓虹，走向
心儀與廣闊

進入一首詩

像一隻蜜蜂
品嚐過一朵詩歌的花香後
願意記住去一株花的路徑
記得到達之前有所儲備
去路途遠而又有阻礙的
詩歌洞天，更有必要

準備願意進入的好奇與決心時
攜帶一些對事物屬性認知的共識
不然怎麼分辨詩歌叢林中的
玫瑰薔薇月季桃花梅花
以及更多事物各自的
指代修辭意味，約定俗成的那些
帶上偏見與悖論也無不可
或許有助另闢蹊徑

至於火柴、蠟燭、手電筒、小刀、鏟子
這些詩學中積累的語言工具

可助破除詩途中的晦澀、幽暗、荊棘
跨越各種理解中的障礙物
更好更快地通過一首詩設置的
密林、黑洞、迷宮
抵達詩境的豁然開朗、別有用心
見到柳暗花明

憶那年十月的另一種雪

十月
秋水沉靜，蓮也秋實
別處已有初雪步上
清淺的旅途

傳聞長天寄出明信片
清麗格外寬大
鴻雁和每一次仰望
都是收信人

際 遇

懸掛是一種懸而未決的事情
困境與長久都為宿命
盛放它的有：
銀碗，詞語
流水與鏡子

而最後的君子蘭
是太陽雪

雪

玫瑰與玫瑰之間
刀叉落座
分享鮮嫩與汁香
酒與酒互兌互飲
古老的園子之上
蘋果復活

盞飲他精神領域的雪吧！
並確認是
或不是砒霜

執迷即墳墓

清瘦的燈光處死一隻
再三奔過來的清瘦蛾子

這小小的殉道者
一直向著認定的光奔赴
光最後成為它的墳墓

人類並不比它優越
是途中的同類，感驗中相惜
一生執迷什麼，什麼就是墳墓
即便光，包括執迷本身

在他們之間

藤蔓分歧並不需要主義
來綁架
偏執的犄角
倒是有益的火花

在他們之間
交際交談或為交心
或為交流
高舉的杯盞
是酒的身體
見底傾心

在他們之間
愛的宣言，本能的蜜汁
是其一

魚的星座

一條魚的海是洶湧的
兩條魚的海是平靜的？！
——流水、浪花與岸抓不住
那些洶湧，與寂靜

屬魚的你，哪裡有你要的池水
屬水的魚，你的世界不會底朝天

兩棵樹

在你能夠想像
在生長能生長的任何地方
起初一高一矮的父與子
（或母與女，或更多長幼組合）
雨中雪中高的給矮的庇護
父親枝葉伸展臂膀樹蔭
風中俯看，話語與叮嚀
後來小的長成與父親一樣高
枝葉足夠自己撐起一片天空
自己成為自己的蔭護
有的與父親相互有些交叉擠兌
有的已經撐過了父親的高度
離開了父親的蔭護
換來父親部分的仰視與欣賞
再後來兒子去了另外的地方
擁有另一片天空
他們該怎樣維繫生長的距離
該怎樣消解所處所見的新鮮與差異

風中雨中除了各自承擔
與看不見的風中致意
另一類母親有些擔憂

愛著

像豆莢中的兩粒豆子
陽光催熟、翻剝
炸裂般的親吻
舌尖上，圓滿的珍珠
溫潤散發的態度
是誰打磨的柔和之光？

潛在的魚，時間的珍珠
浮出水面的冷暖
是誰身體裡的赤潮
潛在的蔚藍的海

在他們之間

熱烈時像正午驕陽下
玫瑰打開紅碩
清寂時像蝴蝶飛過寺廟的
蓮台與晚鐘

像黎明無法消減對曙光的
傾慕與追尋一樣
詞語盛雪的紙筆晝夜飽蘸
對明日曠遠的祝福

這世間，造物早欽定：
月光與愛情一樣古老
玫瑰與肋骨一樣無辜

影像描述之：倚

一片憶念的時光
需要獨自倚靠
一些音律
清涼的，沉鬱的
沉鬱得有些憂傷

把自己當一個物體
扔進時光裡
時光，成為無形的物體，一個
帶空間的容器
裡面彌漫梔子、玫瑰、雪

風信子、風居住的街道的香氣
它們彌漫，升騰，像雲像霧像雨
一個性別的輪廓從中浮現

這些清涼的，單純又混合的
香氣，這個多維的輪廓

讓你沉浸其中
一塊吸附足夠多水霧的海綿
柔柔的，濕浸的飽滿

在這些畫面中，愛的身姿在淡進淡出

本創文學 74

回聲

作　　者：尹遠紅
責任編輯：黎漢傑
法律顧問：陳煦堂 律師

出　　版：初文出版社有限公司
　　　　　電郵：manuscriptpublish@gmail.com

印　　刷：陽光印刷製本廠

發　　行：香港聯合書刊物流有限公司
　　　　　香港新界荃灣德士古道 220-248 號
　　　　　荃灣工業中心 16 樓
　　　　　電話 (852) 2150-2100 傳真 (852) 2407-3062

臺灣總經銷：貿騰發賣股份有限公司
　　　　　電話：886-2-82275988 傳真：886-2-82275989
　　　　　網址：www.namode.com

新加坡總經銷：新文潮出版社私人有限公司
地址：71 Geylang Lorong 23, WPS618 (Level 6), Singapore 388386
電話：(+65) 8896 1946 電郵：contact@trendlitstore.com

版　　次：2023 年 2 月初版
國際書號：978-988-76545-9-9
定　　價：港幣 98 元 新臺幣 360 元

Published and printed in Hong Kong

香港印刷及出版